Jesus
يسوع
ישוע

Joanna Brown
جوانا براون
ג׳ואנה בראון

With paintings by Nebiyu Assefa
مع رسومات نبييو أسيفا
עם ציורים של נבייו אספה

Many Journeys, One Destination

The life and teachings of Jesus have boundless depths and if acted on can often turn things upside down. We live with paradox: simplicity interwoven with complexity, weakness with strength, and clarity with mystery.

The spark of the idea for this book came in Ethiopia when I stumbled across Nebiyu's paintings. I placed his work alongside my photographs from the Holy Land to tell the story of Jesus. On my first trip to that region I stayed with Fairtrade olive farmers whose warmth and hospitality overflowed. During my next visit, with a peace-making delegation, I met numerous Israelis and Palestinians working for peace in inspiring ways, and was deeply moved by a visit to Yad Vashem.

On these and other journeys, there were moments when I had to step through fear. On the other side I found kindness, forgiveness, perseverance and hope flowing from those I met. Some of these people feature in this book:

- Rami, an Israeli, and Mazen, a Palestinian, who together speak for peace (pp. 22-23). Rami's daughter and Mazen's father were both killed in the conflict.
- Mordechai, who followed his conscience and spoke truth for the sake of others and at great cost to himself (p. 31).
- The Nasser family, who have repeatedly chosen hardship over wealth in order to keep their land as a place to build bridges between people from different cultures (pp. 36-37).
- Pauline, whose husband was murdered by Islamic fundamentalists in Gaza (p. 39).

There were also some delightful surprises. For example, the photograph of the builder arose on a spontaneous trip to Nazareth (p. 12), a stone's throw away from the place where Joseph is said to have had his workshop.

These journeys have been both humbling and a great privilege. Paradox abounds. I walk with Jesus on a sea of mystery as Peter walked with Him on the Sea of Galilee, knowing that it will take a lifetime to reach the shore. In the meantime, I pray that in the midst of conflict we remember our common humanity, that we have the courage to step through fear to love and hope, and that we find joy in our differences.

Joanna (2018)

رحلات كثيرة وغاية واحدة

تَذخَرُ حياة وتعاليم يسوع بأعماقٍ لا حدودَ لها، التي إن اقتربنا منها فهي غالبًا ما تقلب حياتنا رأسًا على عقب. وعندما نقترب من هذه الحياة والتعاليم نجدها مليئة بالمفارقات: بساطة ممزوجة بالتعقيد، ضعف مع قوة، ووضوح يصاحبه غموض.

لمعت فكرة هذا الكتاب في أثيوبيا عندما تصادفت برسومات نيبيو. و قمت بدمج أعماله مع صوري التي التقطتها في الأراضي المقدسة لأخبر بقصة يسوع. في رحلتي الأولى للمنطقة مكثت مع مزارعي الزيتون الذين يمتازون بالترحاب وحسن الضيافة. خلال زيارتي التالية، مع وفد من صانعي السلام، قابلت عددًا من الإسرائيليين والفلسطينيين الذين يعملون بطرق ملهمة، وتأثرت كثيرًا بزيارة ياد فاشيم (متحف المحرقة النازية).

في هذه الرحلات ورحلات أخرى، كان عليّ أن أتخطى الخوف في بعض اللحظات. لكن في الجانب الآخر وجدت لطفًا، وغفرانًا، ومثابرة، وأملاً يتدفق ممن قابلتهم. و بعض مما التقيتهم يظهرون في هذا الكتاب:

- رامي الإسرائيلي، ومازن الفلسطيني يجسدان معًا صوت السلام (ص22-23)، وذلك بعد أن قُتل كل من ابنة رامي ووالد مازن خلال الصراع.
- موردخاي، الذي تبع صوتَ ضميره وتكلّم بالحقيقة من أجل الآخرين فيما كَلَفَه ذلك ثمنًا غاليًا (ص31).
- عائلة نصَّار التي اختارت دائمًا المعاناة بدلاً من الثروة، وذلك حفاظاً على أرض العائلة لتكون مكانًا يبنوا عليه جسورًا بين افراد من ثقافات مختلفة (ص36-37).
- بولين، التي قُتِل زوجها من قِبَل متطرفين إسلاميين في غزة (ص39).

كانت هناك أيضًا مفاجآت سارّة؛ منها مثلاً أن صورة البَنّاء تم التقاطها خلال رحلة عفوية إلى الناصرة (ص21)، لقد أُخِذت هذه الصوره في مبنىً يبعد رمية حجر عن المكان الذي قيل أنه كان منجرة يوسف.

أمدتني تلك الرحلات بمشاعرٍ تجمع بين التواضع العميق والشرف العظيم. لكن المفارقات تضاعفت. أمشي مع يسوع على بحر الغموض، كما مشى بطرس معه على بحر الجليل وأعرف بأنني سأقضي كل حياتي من أجل الوصول إلى شاطئ الامان. في هذه الأثناء، أصلّي أن نتذكّر إنسانيتنا المشتركة في وسط الصراع، وأن نملك الشجاعة لنجتاز حاجز الخوف ومنه إلى الحب والرجاء، وأن نجد السعادة في اختلافاتنا.

جوانا (2018)

מסעות רבים, יעד אחד

חייו של ישוע ותורתו ניחנים בעומק אין סופי, ופעולה הנשענת על תורתו יכולה לעיתים קרובות להפוך דברים על פיהם. אנו חיים עם ניגודים: פשטות ומורכבות שזורות זו בזו, חולשה וחוזק, בהירות ומסתורין.

הניצוץ של הרעיון לספר זה ניצת באתיופיה כאשר נתקלתי בציוריו של נביו (Nebiyu). הצבתי את עבודותיו לצד תצלומי מארץ הקודש כדי לספר את סיפורו של ישוע. במסעי הראשון לאזור התארחתי אצל מגדלי זיתים, בשיטת סחר הוגן, אשר שפעו חמימות והסברת פנים. במהלך ביקורי הבא, עם משלחת להשכנת שלום, פגשתי באינספור ישראלים ופלסטינים הפועלים למען השלום בדרכים מעוררות השראה, והתרגשתי עמוקות מביקור ביד ושם.

במסעות אלו ובביקורים נוספים, היו רגעים בהם הייתי צריכה לצעוד דרך פחד. מן העבר השני נתקלתי בטוב לב, התמדה ותקווה שנבעו מהאנשים שפגשתי. חלק מאותם אנשים מופיעים בספרי זה:

- רמי הישראלי, ומאזן הפלסטיני, אשר יחד מדברים למען השלום. (עמ׳ 22-23). בתו של רמי ואביו של מאזן שניהם נהרגו בסכסוך.
- מרדכי, אשר הלך אחר מצפונו ואמר את האמת למען אחרים בעודו משלם מחיר כבד בעצמו (עמ׳ 31).
- משפחת נאסר, אשר בחרה בעקביות בקושי על פני עושר על מנת לשמר את אדמתם כמקום לבניית גשרים בין אנשים מתרבויות שונות (עמ׳ 36-37).
- פאולין, אשר בעלה נרצח על ידי מוסלמים קיצוניים בעזה. (עמ׳ 39).

היו גם הפתעות מענגות. למשל תצלומו של הבנאי, בעת ביקור ספונטני בנצרת (עמ׳ 12), צולם במרחק נגיעה מהמקום בו אומרים שהיה חדר המלאכה של יוסף.

מסעות אלו מילאוני ענווה והיוו זכות גדולה. שופעים בפרדוקס. אני פוסעת עם ישוע על פני ים המסתורין כפי שפיטר הילך עמו על פני ים כנרת, בידיעה שייקח חיים שלמים להגיע אל החוף. בינתיים, אני מתפללת שבתוך הקונפליקט נזכור את האנושיות המשותפת, שיהיה לנו האומץ לצעוד דרך הפחד אל האהבה והתקווה, ושנמצא שמחה בשוני ובהבדלים בינינו.

ג׳ואנה (2018)

Jesus

ישוע

يسوع

PROFESSIONAL

Creator and builder.

خالقٌ وبانٍ.

בורא ובונה.

אב ובן.

Father and son.

أب وابن.

רוח האלוהים יורדת.

Spirit of God descends.

روح الله يحلّ.

ארבעים יום ללא מזון; הוא נחשף לפיתויים אך עומד בניסיון.

Forty days without food; He is tempted, but resists.

أربعون يومًا بدون طعام؛ يُجَرَّب، لكنْ يصمد.

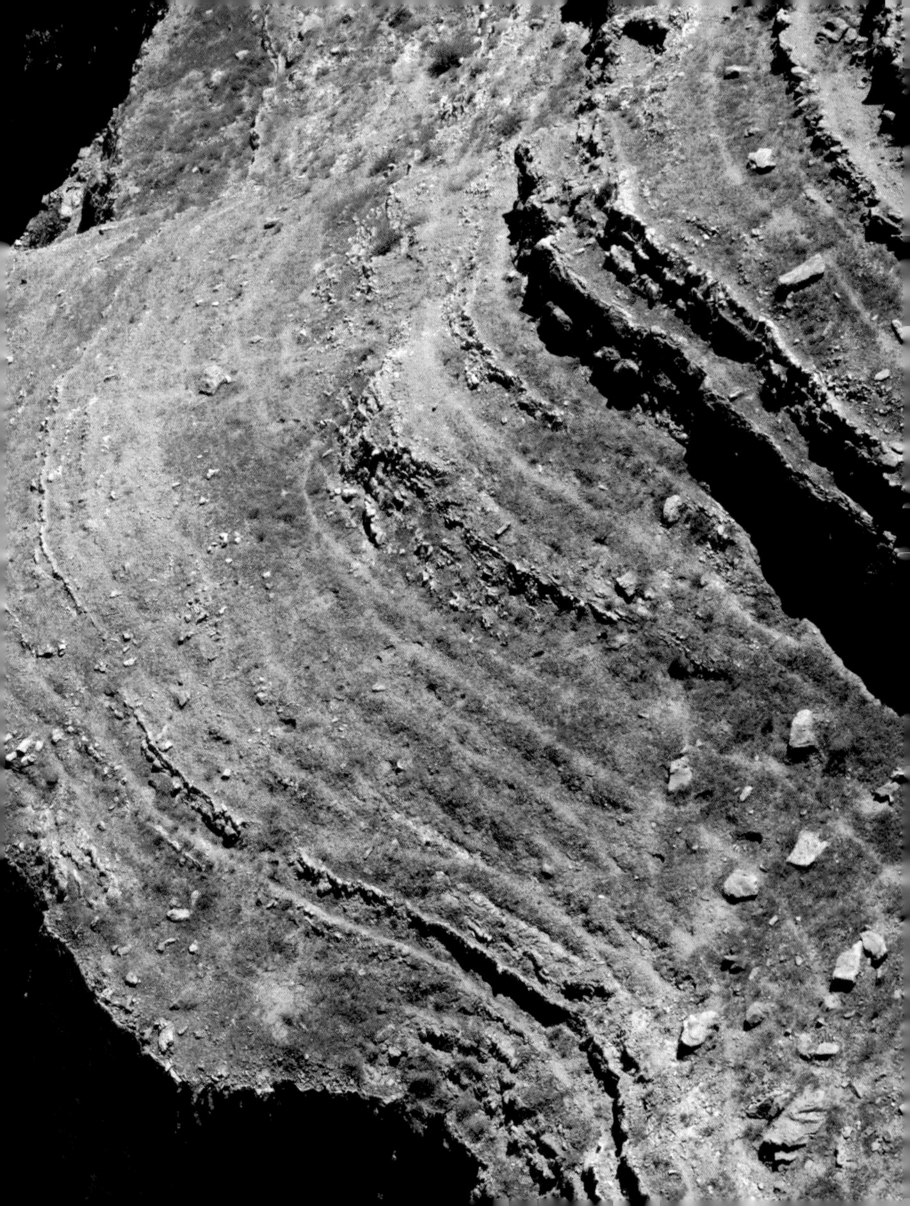

He performs many miracles,
in the hope that we will believe His words.

הוא עושה ניסים רבים,
בתקווה שנאמין בדבריו.

يصنع العديد من المعجزات،
على أمل أن نؤمن بكلامه.

“Love your enemies...
”אהוב את אויביך...
”أحبوا أعداءكم...
MOUNTAIN GEAR

مستعمرة سوسيا وهي على بُعد أمتار...

Susya Settlement and,

just metres away...

התנחלות סוסיא ובמרחק מטרים ספורים...

הכפר סוסיא.

قرية سوسيا.

Susya Village.

"الجِياع والعطاشى إلى الصلاح
سيُشبَعُون ويُروَون."

"אלו הרעבים והצמאים לטוב,
המה יתמלאו וישבעו."

"Those who hunger and thirst for
goodness will be filled and satisfied."

"I proclaim freedom for prisoners
and release for the oppressed."

"أنادي للأسرى بالعِتق وأُطلِقُ
المسحوقين أحرارًا."

"אני קורא לשבויים דרור,
ופדות למדוכאים."

גלעד
www.gilad.o
.org

ww.gilad.org

"אשרי רודפי השלום,
כי בני אלוהים יקראו."

"Blessed are the peacemakers,
for they shall be called
the children of God."

"طوبى لصانعي السلام،
لأنهم أبناء الله يُدعَون."

We
Refuse
to be
Enemies

מסרבים להיות אויבים.

نرفض أن نكون أعداء.

"אשרי האבלים,
כי הם ינוחמו."

"طوبى للحزانى،
لأنهم يتعزّون."

"Blessed are those who mourn,
for they shall be comforted."

يصرخ ضد الجشع
والاستغلال.

He cries out against greed
and exploitation.

הוא זועק כנגד תאוות
בצע וניצול.

من عبادته في هياكل مبهرة صنعها البشر بأياديهم.
ובאמת ולא במקדשים מפוארים מעשה כפיים.
He offers living water and speaks of worshipping God in spirit

يقدّم ماءً حيًا ويتكلم عن عبادة الله بالروح بدلاً
הוא מציע מים חיים ומדבר על עבודת האל ברוח
and truth rather than in magnificent temples made with hands.

He breaks down barriers.

הוא הורס מחיצות

يهدم الحواجز.

FREEDOM MENU
STARTERS - COST
HOPE.....FAITH
JOY... knowing
JESUS
KOREA

"קבל את מלכות האלוהים כילד קטן, על מנת להיכנס לתוכה."

"Receive the kingdom of God like a little child,
in order to enter into it."

"اقبلوا ملكوت الله كطفل صغير، لتدخلوه."

"Is any one of you without sin?"

"هل منكم أحد بلا خطيئة؟"

"היש ביניכם מי שנקי מחטא?"

LANE BR

"سأغفر خطايا الذين يلتفتون لي."

"I will forgive the sins of those who turn to me."

"אסלח לחטאיהם של אלו הפונים אלי."

"אני מבטיח להתהלך עם אלו שיקשיבו, צאו ובטחו."

"وعدي أن أمشي برفقة الذين يستمعون
ويتقدمون إليَّ ويثقونَ بيَ."

"I promise to walk with those who listen, step out and trust."

الملك يذهب إلى المدينة راكبًا.

The King rides into the city.

המלך רוכב לתוך העיר.

"أورشليم، أورشليم! كم وددتُ لو جذبتكِ إليَّ."
"O Jerusalem, Jerusalem!

"הו ירושלים, ירושלים! כמה ארצה בקרבתך."

How I want to draw you close."

“Not one sparrow is forgotten.”
”אף לא ציפור דרור אחת תשכח.“
”لا يوجد عصفور واحد منسيّ.“

"עשו כפי שעשיתי אני," אומר המורה.

يقول المُعَلِّم: "افعلوا كما فعلت".

"Do as I have done," says the Teacher.

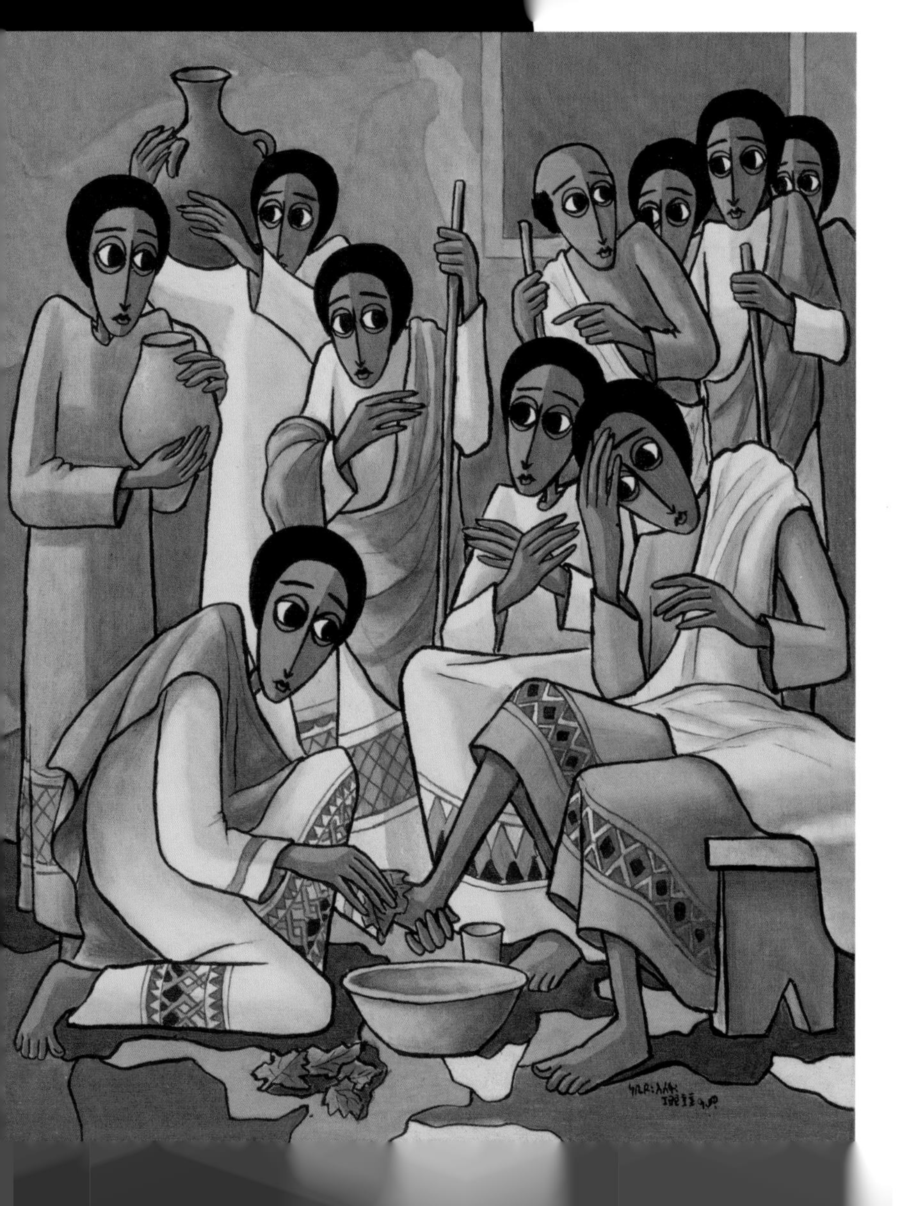

"اذكروني"، هكذا طلبَ القدّوس
وهو عالمٌ أنه سيتعرض
للخيانة بقبلة.

"Remember me," requests the Holy One, knowing that soon He will be betrayed by a kiss.

"זכרו אותי" מבקש הקדוש,
ביודעו שבקרוב יבגדו
בו בנשיקה.

He sweats blood and cries out to His Father,
“Abba”, knowing what lies ahead.

הוא מזיע דם וזועק לאביו, ”אבא“,
ביודעו מה מחכה לו.

يسيلُ عرقه دمًا وهو يصرخ لأبيه،
عالمًا بما سيحدث.

"مملكتي ليست من هذا العالم،
وإلا لاستخدم أتباعي السيوف."

"My kingdom is not of this world;
otherwise my followers would use swords."

"מלכותי איננה מן העולם הזה;
אחרת חסידי היו משתמשים בחרבות."

LG

His friend denies Him; once, twice, three times.

חברו מתכחש לו; פעם, פעמיים, שלוש פעמים.

صديقه ينكره؛ مرة، مرتين، وثلاث مرّات.

”כל אשר הוא מן האמת שומע לקולי.“

”كل من هُوَ من الحق يسمع صوتي.“

"Everyone who is of the truth hears my voice."

The soldiers twist together thorns
to make Him a crown.

الجنود يضفرونَ الأشواك ليصنعوا منها تاجًا له.

החיילים שוזרים קוצים כדי לעשות לו כתר.

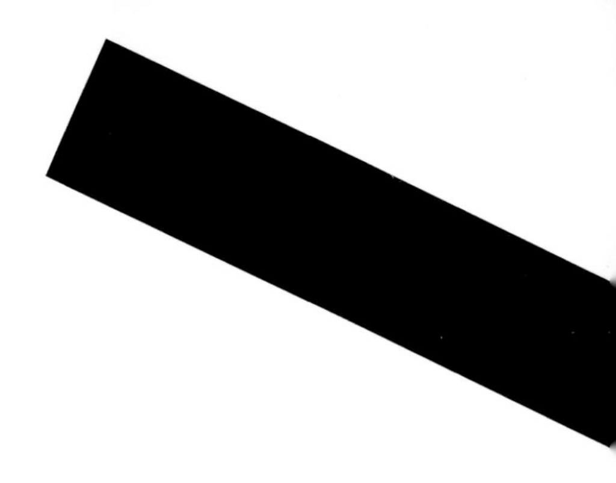

خَياره: حمل الصليب.

בחירתו: לשאת את הצלב.

His choice: to carry the cross.

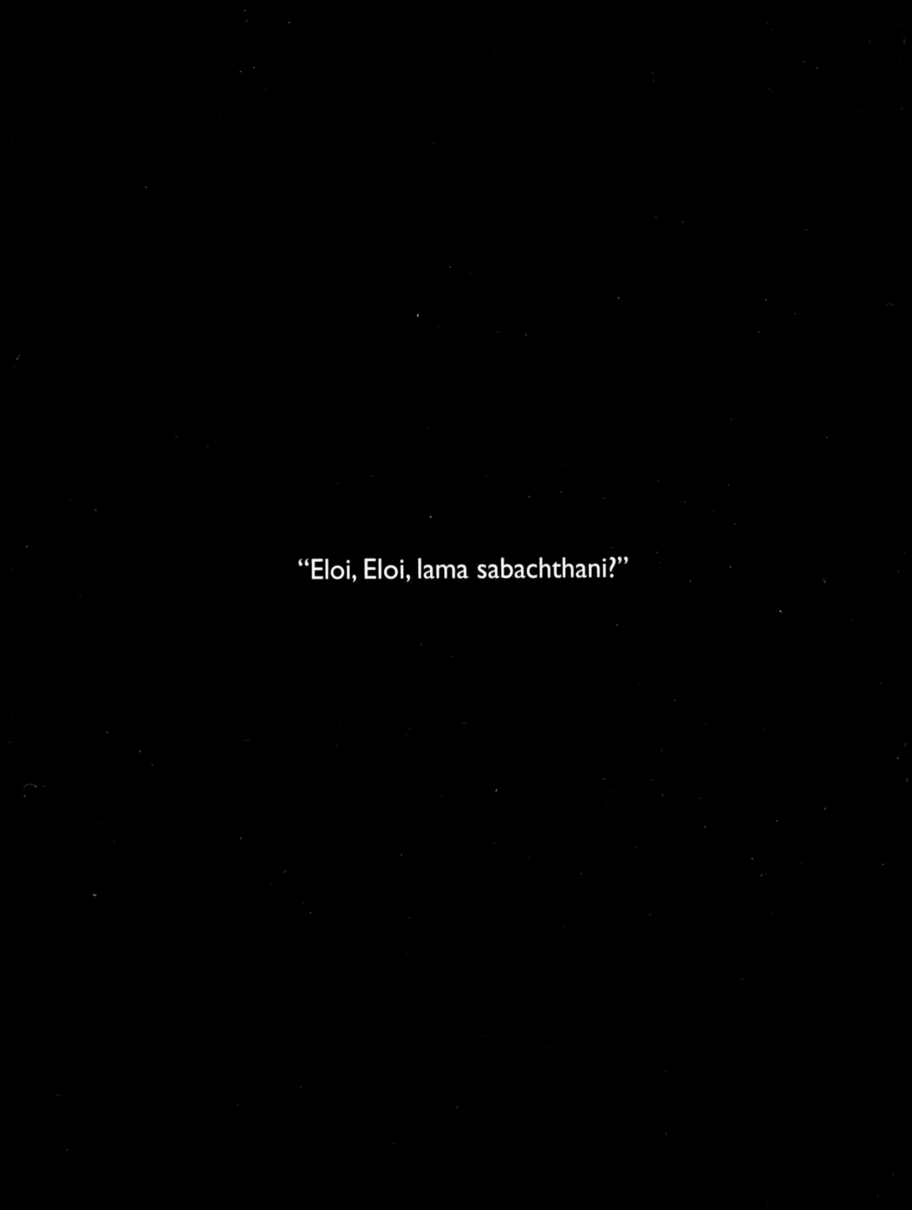
"Eloi, Eloi, lama sabachthani?"

”אלוהי, אלוהי, למה שבקתני?“

”إلهي، إلهي، لماذا تركتني؟“

שקוע במוות: הוא יורד.

ينزِلُ إلى القبرِ مغمورًا بالموت.

Immersed in death: He descends.

النصر!

Victory!

ניצחון!

"Why weep?"

"לָמָה תִּבְכִּי?"

"لماذا تبكون؟"

"لماذا الشك؟"

"למה להטיל ספק?"

"Why doubt?"

"Come, breakfast!"

"تعالوا، للفطور!"

"בואו, ארוחת בוקר!"

"אני אוהב אותך אדון"
אומר חברו; פעם, פעמיים, שלוש פעמים.
ניתנת לו עבודה לעשות.

"I love you Lord," says his friend; once, twice, three times.
He is given work to do.

"أحبك يا رب"
هكذا قال تلميذه؛ مرّة، مرتين، ثلاث مرات.
ثُمَ يُعطى له عمل.

"אני הולך להכין לכם מקום.
ובזמן היעדרותי אשלח לכם מתנה, את הרוח,
אשר תשכון אצל כל מי שהולך בדרכי."

"I am going to prepare a place for you.
Whilst I am away I will send you a gift, the Spirit,
who will live within everyone that follows me."

"أنا ذاهب لأُعدّ لكم مكانًا.
وبينما أنا بعيد عنكم سأرسل لكم هدية، الروح،
التي ستسكن كل من يتبعني."

ثمار الروح هي

פירות הרוח הם

The fruits of the Spirit are

love

صبر

אהבה

שלום

joy

محبة

kindness

שמחה

وداعة

goodness

ענווה

נאמנות

فرح

טוב לב

patience

سلام

gentleness

אורך רוח

لطف

peace

faithfulness

נדיבות

أمانة

صلاح

ריסון עצמי

ضبط نفس

self-control

"I am with you.
Go and tell!"
"أنا معكم.
اذهبوا واخبروا!"
"אני עמכם.
צאו וספרו!"

10

11

12

14, 16

18

20

22

24, 26

28

30

34

38

40

42

44

46

48

52

54

56

Biblical Inspiration	**השראה מקראית**	**وحي الكتاب المقدّس**
Matthew 2:1-18	מתי ב' 1-18	متّى 2:1-18
Matthew 1, Luke 2:41-52	מתי א', לוקס ב' 41-52	متّى1, لوقا 2:41-52
Mark 6:1-3, John 1:1-7	מרקוס ו' 1-3, יוחנן א' 1-7	مرقس 6:1-3, يوحنا 1:1-7
Mark 1:1-11	מרקוס א' 1-11	مرقس 1:1-11
Matthew 4:1-11	מתי ד' 1-11	متى 4:1-11
John 9:1-41, 20:30-31	יוחנן ט' 1-41, כ' 30-31	يوحنا 9:1-41، 20:30-31
Matthew 5:43-48	מתי ה' 43-48	متّى 5:43-48
Luke 10:25-37	לוקס י' 25-37	لوقا 10:25-37
Matthew 5:6, 14:13-21	מתי ה' 6, יד' 13-21	متّى 5:6، 14:13-21
Luke 4:14-20	לוקס ד' 14-20	لوقا 4:14-20
Matthew 5:9	מתי ה' 9	متّى 5:9
Matthew 5:4	מתי ה' 4	متّى 5:4
John 2:13-17	יוחנן ב' 13-17	يوحنا 2:13-17
John 4:1-26	יוחנן ד' 1-26	يوحنا 4:1-26
Ephesians 2:14-18	אל האפסים ב' 14-18	أفسس 2:14-18
Mark 10:13-16	מרקוס י' 13-16	مرقس 10:13-16
John 8:2-11	יוחנן ח' 2-11	يوحنا 8:2-11
Luke 5:17-26	לוקס ה' 17-26	لوقا 5:17-26
Matthew 14:22-33	מתי י"ד 22-33	متّى 14:22-33
Luke 19:29-40	לוקס י"ט 29-40	لوقا 19:29-40

Luke 13:34	לוקס י"ג 34	لوقا 13:34
Luke 12:6-7	לוקס י"ב 6-7	لوقا 12:6-7
John 13:1-17	יוחנן י"ג 1-17	يوحنا 13:1-17
Luke 22:14-23	לוקס כ"ב 14-23	لوقا 22:14-23
Mark 14:32-46, Luke 22:44	מרקוס י"ד 32-46, לוקס כ"ב 44	مرقس 14:32-46، لوقا 22:44
Luke 22:49-53, John 18:36	לוקס כ"ב 49-53, יוחנן י"ח 36	لوقا 22:49-53، يوحنا 18:36
Luke 22:54-62	לוקס כ"ב 54-62	لوقا 22:54-62
John 18:33-38	יוחנן י"ח 33-38	يوحنا 18:33-38
Mark 15:16-20	מרקוס ט"ו 16-20	مرقس 15:16-20
Luke 23:26-43	לוקס כ"ג 26-43	لوقا 23:26-43
Mark 15:33-41	מרקוס ט"ו 33-41	مرقس 15:33-41
Mark 15:42-47	מרקוס ט"ו 42-47	مرقس 15:42-47
I Corinthians 15:1-58	הראשונה אל הקורינתים ט"ו 1-58	1كورنثوس 15:1-58
John 20:1-18	יוחנן כ' 1-18	يوحنا 20:1-18
John 20:19-29	יוחנן כ' 19-29	يوحنا 20:19-29
John 21:1-14	יוחנן כ"א 1-14	يوحنا 21:1-14
John 21:15-17	יוחנן כ"א 15-17	يوحنا 21:15-17
John 14:1-31, Acts 1:1-9	יוחנן י"ד 1-31, מעשי השליחים א' 1-9	يوحنا 14:1-31، أعمال 1:1-9
Galatians 5:22-23	אל הגלטים ה' 22-23	غلاطية 5:22-23
Matthew 28:16-20	מתי כ"ח 16-20	متّى 28:16-20

MEGA

Photographs

الصور الفوتوغرافية

צילומים

Working for Peace and Justice in Israel and Palestine

ARIJ (Applied Research Institute-Jerusalem) (www.arij.org) promotes applied research, technology transfers, sustainable development, and the self-reliance of the Palestinian people through greater control over their natural resources.

Badil Resource Centre for Palestinian Residency and Refugee Rights (www.badil.org) is involved in research, advocacy and support of community participation in the search for durable solutions.

Bat Shalom (www.batshalom.org) unites Israeli and Palestinian women through working for a just peace for all.

Breaking the Silence (www.breakingthesilence.org.il) is a group of veteran Israeli soldiers who collect testimonies of soldiers who have served in the Occupied Territories. These are shared on the web, in booklets and lectures, and on tours of Hebron.

B'Tselem (www.btselem.org) was established by a group of Israeli academics, attorneys, journalists and Knesset members to document and educate the Israeli public and policy-makers about human rights violations in the Occupied Territories.

Christian Peacemaker Teams (www.cpt.org) offers organized, non-violent alternatives to lethal conflict between groups. They place violence-reduction teams in crisis situations around the world at the invitation of local peace and human rights workers.

Combatants for Peace (cfpeace.org) are former Israeli and Palestinian combatants who seek to transform and resolve the conflict, and build a future for both peoples.

EAPPI (Ecumenical Accompaniment Programme in Palestine and Israel) (www.eappi.org) provides protective presence to vulnerable communities, monitors and reports human rights abuses, and supports Palestinians and Israelis working together for peace.

Embrace the Middle East (www.embraceme.org) works to bring lasting change through healthcare, education and community development projects.

ICAHD (Israeli Committee against House Demolitions) (www.icahd.org) is a non-violent, direct-action group that opposes Israeli demolition of Palestinian houses, settlement expansion, policies of "closure" and "separation", and the uprooting of olive trees.

Kairos Palestine (www.kairospalestine.ps), a movement of Christian Palestinians, was born out of the Kairos Document, which advocates a just solution to the conflict.

Negev Coexistence Forum (www.dukium.org) of Arab and Jewish residents of the Negev, aims to provide a framework for Jewish-Arab collaboration, in the struggle for civil equality and the advancement of mutual tolerance and coexistence.

Palestine Fair Trade Association (www.palestinefairtrade.org) is a union of fair trade producing cooperatives, processors and exporters. Its mission is to provide marginalized communities with the means for social and economic empowerment.

Parents Circle - Families Forum (PCFF) (www.theparentscircle.org) consist of several hundred bereaved families, Palestinian and Israeli, who spearhead a reconciliation process between Israelis and Palestinians.

Rabbis for Human Rights (http://rhr.israel.net/eng/) work to prevent human rights abuses and endeavour to introduce an authentic and humanistic understanding of Jewish tradition into Israel's public discourse.

Sabeel (www.sabeel.org) is a grass-roots liberation theology movement among Palestinian Christians. It strives to develop a spirituality based on love, justice, peace, non-violence, liberation and reconciliation for the different national and faith communities.

Solutions not Sides (www.solutionsnotsides.co.uk) is designed to prepare students to make positive, solution-focused contributions to debates on Israel-Palestine. It focuses on direct student interaction with peace activists and delivers conflict-resolution training.

Tent of Nations (www.tentofnations.org) was a dream of Bishara Nassar, a Palestinian Christian, who devoted his life to protecting his family's land so that youth from different cultures could gather together to build bridges of understanding, reconciliation and peace.

UNOCHA (http://ochaonline.un.org/) aims to mobilize and coordinate humanitarian action in partnership with other groups, in order to alleviate human suffering in disasters and emergencies, advocate for the rights of people in need, and facilitate sustainable solutions.

Wahat al Salaam (www.wasns.org) means Oasis of Peace. It is an intentional community jointly established by Jewish and Palestinian citizens of Israel.

Wi'am (Palestinian Conflict Resolution Centre) (www.alaslah.org) strives to build a democratic and just society. It aims to improve the quality of relationships by addressing injustices rather than avenging them, dignifying people on both sides of the conflict, promoting human rights and advocating peace among all people.

Women's Centre for Legal Aid and Counselling (www.wclac.org/english/) provides counselling, awareness raising, legal and social support, proposes amendments to the law, and helps to organize advocacy and campaigns on behalf of Palestinian women.

Yad Vashem (www.yadvashem.org) is a memorial to the millions that lost their lives in the Jewish Holocaust (Shoah). It also symbolizes the ongoing confrontation with the rupture it caused.

איגוד הסחר ההוגן הפלסטיני (www.palestinefairtrade.org) איגוד של קואופרטיבים יצרנים, מעבדים ויצואנים בשיטת הסחר ההוגן. מטרתו לספק לקהילות שוליים את האמצעים להתעצמות חברתית וכלכלית.

פורום משפחות שכולות (www.theparentscircle.org) מונה כמה מאות משפחות שכולות, פלסטיניות וישראליות, ומוביל תהליך פיוס בין ישראלים לפלסטינים.

רבנים למען זכויות אדם (http://rhr.israel.net/heb/) העמותה פועלת למניעת פגיעה בזכויות אדם ומבקשת להביא הבנה אותנטית והומאניסטית של המסורת היהודית אל השיח הציבורי בישראל.

סביל (www.sabeel.org) הינה תנועת שחרור של פלסטינים נוצרים. הארגון שואף לקדם רוחניות מושתתת על אהבה, צדק, שלום, אי-אלימות, שחרור ופיוס לקהילות בנות דתות ולאומים שונים.

פתרונות, לא צדדים (www.solutionsnotsides.co.uk) נועד להכין סטודנטים לתרום באופן חיובי וממוקד-פתרון לדיונים בנושא הסכסוך הישראלי פלסטיני. התוכנית מתמקדת באינטראקציה ישירה של סטודנטים עם פעילי שלום ומעבירה תכניות לפתרון קונפליקטים.

אוהל האומות (www.tentofnations.org) היה חלומו של בשארה נסאר, פלסטיני נוצרי, אשר הקדיש את חייו להגנה על אדמת משפחתו על מנת שנוער מתרבויות שונות יוכל להתכנס ולבנות גשרים של הבנה, פיוס ושלום.

משרד האו"ם לתיאום עניינים הומניטריים (http://ochaonline.un.org/) נועד לגייס ולתאם סיוע הומניטרי בשיתוף עם קבוצות אחרות, על מנת להקל על סבל אנושי בזמני אסון ומצבי חירום, להגן על זכויות אנשים במצוקה ולאפשר פתרונות ברי קיימה.

ואחת אלסלאם, נוה שלום (www.wasns.org) זהו כפר שיתופי של יהודים וערבים פלסטינים בעלי אזרחות ישראלית.

Wi'am המרכז הפלסטיני לפתרון סכסוכים (www.alaslah.org) שואף לבנות חברה דמוקרטית וצודקת. הוא מכוון לשפר את איכות מערכות היחסים על ידי מתן מענה לחוסר צדק בניגוד לנקמה, תוך כדי גילוי כבוד לאנשים משני צדי הסכסוך, קידום זכויות אדם וטיפוח השלום בין כל בני האדם.

Women's Centre for Legal Aid and Counselling המרכז לנשים לסיוע משפטי וייעוץ (www.wclac.org) מספק ייעוץ, תוכניות להעלאת המודעות, תמיכה משפטית וסוציאלית , מציע הצעות תיקון לחוק, ועוזר לארגן תמיכה וקמפיינים למען נשים פלסטיניות.

יד ושם, רשות הזיכרון לשואה ולגבורה (www.yadvashem.org) מצבת זיכרון לששת המיליונים שנספו בשואה. הוא גם מסמל את ההתמודדות המתמשכת עם השבר שנוצר כתוצאה מהשואה.

פעילים למען שלום וצדק בישראל ופלסטין

ARIJ המכון למחקר יישומי-ירושלים (www.arij.org) מקדם מחקר יישומי, העברת טכנולוגיה, פיתוח בר-קיימה ועצמאות כלכלית של הפלסטינים דרך שליטה גדולה יותר במשאבים הטבעיים שברשותם.

בדיל מרכז המידע לזכויות השיבה והתושבות הפלסטיניות (www.badil.org) הארגון מעורב במחקר, הגנה משפטית ותמיכה במעורבות הקהילה בחיפוש אחר פתרונות ברי קיימה.

בת שלום (www.batshalom.org) מאחד נשים ישראליות ופלסטיניות דרך פעילות למען שלום צודק לכל.

שוברים שתיקה (www.breakingthesilence.org.il) קבוצה של חיילים ישראלים משוחררים אשר אוספים עדויות מחיילים ששירתו בשטחים הכבושים. עדויות אלו מופצות ברשת, בחוברות והרצאות, וכן בסיורים בחברון.

בצלם (www.btselem.org) נוסד בידי קבוצה של אקדמאים ישראלים, עורכי דין, עיתונאים וחברי כנסת על מנת לתעד ולחנך את הציבור הישראלי ומחוקקי החוקים בנושא הפרות זכויות אדם בשטחים הכבושים.

קבוצות נוצריות למען שלום (www.cpt.org) הארגון מציע אלטרנטיבות לא אלימות, מאורגנות, לסכסוכים קטלניים בין קבוצות. הם נענים להזמנת פעילי שלום וזכויות אדם מקומיים, ומציבים צוותים להפחתת האלימות במצבי משבר ברחבי העולם.

לוחמים לשלום (www.cfpeace.org) היא קבוצה של לוחמים לשעבר, ישראלים ופלסטינים, שפועלים על מנת לשנות ולפתור את הסכסוך, ולבנות עתיד לשני העמים.

EAPPI תוכנית הליווי האקומנית בפלסטין וישראל (www.eappi.org) מספקת נוכחות מגינה לקהילות פגיעות, משגיחה ומדווחת על פגיעה בזכויות אדם, ותומכת בפלסטינים וישראלים שפועלים יחד למען השלום.

Embrace the Middle East חבק את המזרח התיכון (www.embraceme.org) פועל להביא שינוי מתמשך דרך תמיכה בתחום הבריאות והחינוך ופרויקטים קהילתיים.

ICAHD הוועד הישראלי נגד הריסת בתים (www.icahd.org) הוא קואליציה של קבוצות לפעולה ישירה, בלתי-אלימה, המתנגדת להריסת בתים פלסטינים, הרחבת התנחלויות, מדיניות של "סגר" ו"הפרדה" ועקירת עצי זית.

קיירוס פלסטין (www.kairospalestine.ps) קבוצה של פלסטינים נוצרים שנולדה מתוך מסמך קיירוס שקורא לפתרון הוגן לסכסוך.

פורום דו-קיום בנגב לשוויון אזרחי (www.dukium.org) הוקם על ידי תושבים יהודים וערבים בנגב, במטרה לשמש מסגרת לשיתוף פעולה יהודי-ערבי במאבק על שוויון זכויות וקידום סובלנות הדדית ודו קיום.

جمعية التجارة الفلسطينية العادلة (www.palestinefairtrade.org) وهي اتحاد تجارة عادلة لإنتاج التعاونيين والمعالجين والمصدّرين. إرساليتها هي تزويد المجتمعات المهمّشة بوسائل التمكين الاجتماعي والاقتصادي من خلال تجارة عادلة.

دائرة الأهل - منتدى العائلات (PCFF) (www.theparentscircle.org) وتتكون من عدة مئات من العائلات الثكلى، فلسطينيين وإسرائيليين، والذين مرّوا في عملية مصالحة بين الإسرائيليين والفلسطينيين.

حاخامات من أجل حقوق الإنسان (http://rhr.israel.net/) تسعى "حاخامات من أجل حقوق الإنسان" بالإضافة إلى الجهود لمنع انتهاكات حقوق الإنسان، إلى تقديم فهم حقيقي وإنساني للعادة اليهودية في الخطاب الإسرائيلي العام.

سبيل (www.sabeel.org) سبيل هي حركة لاهوتية تحريرية شعبية بين الفلسطينيين المسيحيين. تسعى إلى تطوير أسس روحانية ناشئة عن المحبة، والعدالة، والسلام، وعدم العنف، والتحرير، والمصالحة للأمم المختلفة ومجتمعات الإيمان.

حلول لا تطرف (www.solutionsnotsides.co.uk) صُممت لتجهيز الطلاب لعمل مساهمات إيجابية تهدف لإيجاد الحلول حول النقاشات الإسرائيلية- الفلسطينية. تركّز على التفاعل الطلابي المباشر مع نشطاء السلام وقد أطلقت تدريبًا لحل الصراع.

خيمة الأمم (www.tentofnations.org) كانت خيمة الأمم حلم بشارة نصّار، فلسطيني مسيحي كرّس حياته من أجل حماية أرض عائلته في سبيل استخدامها لجمع شبيبة من ثقافات مختلفة معًا لبناء جسور فهم ومصالحة وسلام.

UNOCHA (http://ochaonline.un.org/) إرساليتها تهدف الى حشد وتنسيق الأعمال الإنسانية بالتعاون مع مجموعات أخرى في سبيل تخفيف المعاناة البشرية في الكوارث والطوارئ، والدفاع عن حقوق الأشخاص المحتاجين لذلك، وتيسير حلول دائمة.

واحة السلام (www.wasns.org) خدمة مجتمعية فريدة، تأسست بتعاون مشترك بين مواطنين يهود وفلسطينيين من إسرائيل.

وئام (مركز حل الصراع الفلسطيني) (www.alaslah.org) يسعى وئام إلى بناء مجتمع ديموقراطي عادل. يهدف إلى تطوير نوعية العلاقات بمعالجة المظلومين بدلاً من الثأر لهم، وتكريم الأشخاص في جانبي الصراع، وتطبيق حقوق الإنسان، وتحقيق السلام بين كل الناس.

مركز المرأة للإرشاد والمساعدة القانونية (www.wclac.org) يوفّر مركز المرأة النصح، وبرامج التوعية التربوية، والتدريب والدعم القانوني والاجتماعي، واقتراحات لمشاريع قوانين وتعديلات القانون، ويشارك في مؤسسة الدعوة وحملات الضغط نيابة عن النساء الفلسطينيات والمجتمع.

ياد فاشيم (الكارثة والبطولة) (www.yadvashem.org) ياد فاشيم مركز لذكرى الملايين ممّن فقدوا حياتهم في الكارثة (الهولوكوست). وهي أيضًا ترمز للمقاومة المستمرة للتمزّق الذي سبّبته.

العمل من أجل السلام والعدالة في إسرائيل وفلسطين

أريج (معهد الأبحاث التطبيقية- القدس) (www.arij.org/ar) يعزّز هذا المعهد الأبحاث التطبيقية، النقلات التكنولوجية، التطوّر الدائم، والاعتماد الذاتي للشعب الفلسطيني من خلال سيطرة أعظم على مصادرهم الطبيعية.

بديل (مركز مصادر لإقامة الفلسطينيين وحقوق اللاجئين) (www.badil.org) مركز مختص بالبحث والدعوة ودعم مشاركة المجتمع في البحث عن حلول دائمة.

بات شالوم (www.batshalom.org) يجمع بات شالوم نساءً إسرائيليات وفلسطينيات من خلال العمل فقط من أجل سلام الجميع.

كسر الصمت (www.breakingthesilence.org.il) فيه يجمع الجنود الإسرائيليون القدامى شهادات من جنود خدموا في الأراضي المُحتلّة. تتم مشاركة هذه الشهادات على الصفحة الإلكترونية، من خلال كتيبات ومحاضرات، وفي جولات من الخليل.

بيت سيلم (www.btselem.org) تأسس على يد مجموعة من الإسرائيليين الأكاديميين، محامين، صحفيين، وأعضاء كنيست من أجل توثيق وتثقيف عامّة الإسرائيليين وصنّاع السياسة حول انتهاك حقوق الإنسان في الأراضي المُحتلّة.

فرق صنّاع السلام المسيحيين (www.cpt.org) يقدّم هذا الفريق بدائل منظّمة وغير عنيفة لقتل الصراع بين المجموعات، يتم إرسال فرق لتقليل العنف في مناطق حرجة في مختلف أنحاء العالم في دعوة إلى السلام المحلّي وتطبيق حقوق الإنسان.

مقاتلون من أجل السلام (cfpeace.org) مجموعة من المقاتلين الإسرائيليين والفلسطينيين السابقين الذين يعملون من أجل تحويل وحل الصراع، وبناء مستقبل لكلا الشعبين.

EAPPI (برنامج مرافقة مسكوني في فلسطين وإسرائيل) (www.eappi.org) يوفّر تواجدًا حاميًا للمجتمعات الضعيفة، يرصد ويوثّق انتهاكات حقوق الإنسان ويدعم الفلسطينيين والإسرائيليين العاملين معًا من أجل السلام.

احتضان الشرق الأوسط (www.embraceme.org) يعمل في سبيل إحداث تغيير دائم من خلال العناية الصحية، التعليم وبرامج تطوير المجتمع.

ICAHD (اللجنة الإسرائيلية ضد هدم المنازل) (www.icahd.org) مجموعة غير عنيفة ومباشِرة بالعمل تعارض وتقاوم هدم الإسرائيليين لبيوت الفلسطينيين، وتوسُّع المستوطنات، وسياسات "الإغلاق" و"الفصل"، واقتلاع أشجار الزيتون.

كايروس فلسطين (www.kairospalestine.ps) حركة من المسيحيين الفلسطينيين، هي وليدة وثيقة كايروس المؤيدة لحل عادل للصراع.

منتدى التعايش في النقب (www.dukium.org) يهدف المقيمون في النقب من العرب واليهود إلى تحديد إطار عمل للتعاون اليهودي العربي، في صراع المساواة المدنية وتطوير تسامح وتعايش مشترَكَيْن.

فكرة وتصميم جوانا براون
تصميم الغلاف جوانا براون
رسومات نيبيو أسيفا
تصوير ونصوص جوانا براون
الترجمة للعربية مرام سعيد
الترجمة للعبرية نتاشا قمران ومريانا كومارووفسكي
تم النشر بواسطة مطبعة جوزارت (www.jozartpress.com)
المسح الإلكتروني خدمات أرتيسان الرقمية
تمت الطباعة بواسطة بيوربرنت

Concept and Design Joanna Brown
Cover Design Joanna Brown
Paintings Nebiyu Assefa
Photography and Text Joanna Brown
Arabic Translation Maram Said
Hebrew Translation Natasha Camran and Marianna Komarovsky
Published by Jozart Press (www.jozartpress.com)
Scanning by Artisan Digital Services
Printed by Pureprint

קונספט ועיצוב ג'ואנה בראון
עיצוב כריכה ג'ואנה בראון
ציורים נבייו אספה
צילום וטקסט ג'ואנה בראון
תרגום לערבית מראם סעיד
תרגום לעברית נטשה כמרן ומריאנה קומרובסקי
הוצאה לאור דפוס ג'וזארט (www.jozartpress.com)
סריקה ארטיזן שירותים דיגיטליים
הדפסה פיורפרינט

תודה מיוחדת ל...
Special thanks to...
شكر خاص ل...

Nasser Abufarha, Saif Ali, Awet Andemicael, Arosiag Artin, Elisabeth and Hayley Barratt, The Bartons, Henri Bortoft, Becki Bradshaw, Tom Brecher, Naomi Buckler, The Byroms, Ruth Camm, Helen Capocci, Lucy Chiddick, Anna Clough, Wendy Cook, Alastair Cutting, Chris Erskine, Nashat Filmon, Richard and Jane Frost, James Gascoigne, Sr. Maria Goretti, Luan Gray, Nicky Gyopari, Tim Hainsworth, Sameh Hanna, Nicholas Hedges, Alistair Hill, Gilly Howell, Alison Hull, Diane Hume, Ian Long, Andy Jackson, David Judson, Awshalim Khammo, Richard Kenward, Pieter Kwant, Hannah McDowall, Alastair McIntosh, Rich Meyer, Kate Moncrieff, Carla Moss, Catriona Mossop, Ibraheem Munyer, Ilan Pappé, Deborah Parsons, Val and Al Partington, Kaye Payton-Wright, Tim and Hazel Rowe, Maggie Ryan, Sylva Salame, Atallah Salem, Andrée Savy-Giles, Avi Shivtiel, Anne and David Sinclair, Beata Skobodzinska, Gene Stoltzfus, Stephen Sullivan, Chris Taylor, Fiona Tilley, Matthew and Jude Tindale, Befkadu Tsegaye, Val and Mark Turner, Norman Wallwork, Luke Walton, Voirrey Watterson, Helen and John Webber, Laila Yasin, David Young, Bible Society, Christian Peacemaker Teams, Ecce Homo Convent, Greenbelt Festival, Iona Community, Just Festival, Palestine Fairtrade Association, Seedbed Christian Community Trust, South Parade Baptist Church and St Mary's, Dartington.

ISBN 978-0-9555060-2-4